人与自然文库
出版说明

一　本文库由云南教育出版社主办的《人与自然》杂志编辑部编辑，云南教育出版社出版。旨在充分利用资源，实现书刊互动，促进人与自然关系和谐发展。

二　文库侧重纪实性、知识性、趣味性、奇异性较强的新鲜题材，有关动植物和人与动植物关系以及探秘寻幽的内容尤所欢迎。

三　文库以健康有益为方向，以看点卖点相要求。不收陈旧、枯燥、平庸之作。

四　文库图文并茂，相辅相成。文字须清新引人，生动畅达，图片所占比重不低于二分之一，并能达到专业水准，有鲜明的故事性和艺术感染力。

五　文库重质不重量，重单本而不强求系列。选准一本出一本，宁缺勿滥，不凑数，不搭车。

六　文库从世界范围内择优选稿，以引进海外上品为主，兼及国内精彩之作。

七　文库为大 24 开本，全彩印刷，篇幅多属中等规模。

八　欢迎供稿、荐稿和提供信息。

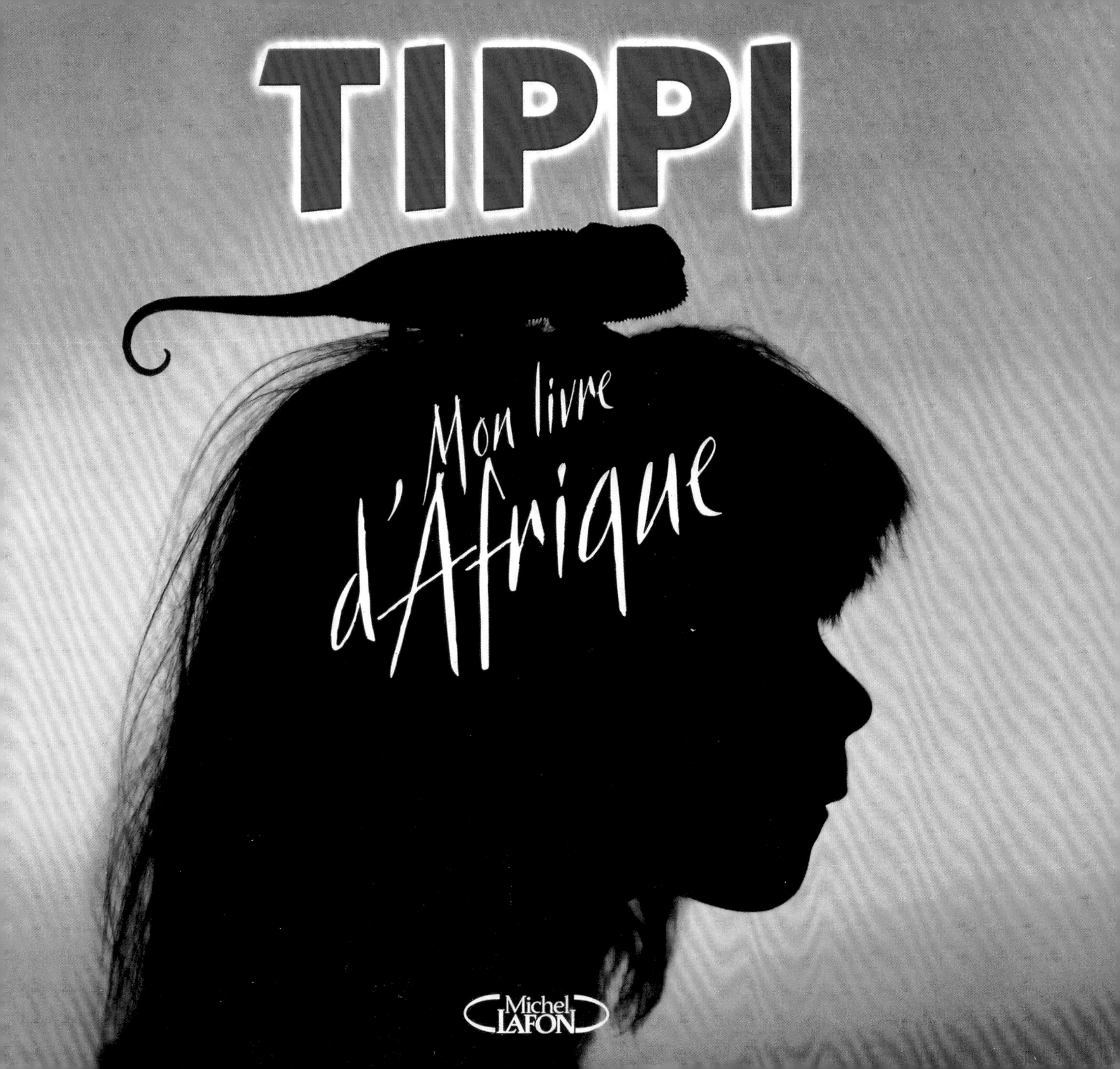
TIPPI
Mon livre
d'Afrique
Michel
LAFON

谨将此书献给我的

变色龙朋友——莱昂

蒂 皮

我的野生
动物朋友

[法国] 蒂 皮·德格雷／著
阿 兰·德格雷 ／图
茜尔维·罗伯特
黄天源／译

云南出版集团公司
云南教育出版社

《人与自然》杂志编辑部编辑

目录

蒂皮

致中国小朋友

我希望中国的全体小朋友，团结起来，共同保护我们的星球——这个将由我们继承的星球！让我们告诉所有的大人们：尽一切努力爱护我们周围的环境，让后人们将这种意识一代一代地传承下去吧！

Tippi

2002年4月6日·巴黎

[王昕／译　吴呵融／校]

远 方 的 榜 样

刘硕良

《我的野生动物朋友》作为"人与自然文库"的第一部作品推出,多少有些偶然。

本来,出版社办刊的一个重要优势就是可以充分利用资源,实现书刊互动。《人与自然》杂志筹备创刊时就想到要出点书,要开发一个与刊物同名的文库,只是办刊伊始,千头万绪,人手又少,一时还顾不上出书的事。却不料刊物的旗子一举,书稿线索便跟着出来了。首先便是法国小女孩蒂皮和她父母合作的这本畅销书《我的野生动物朋友》。

那是2001年9月,深圳的翻译家胡小跃先生按照《人与自然》杂志面向全国,观照世界,海外稿件不少于四分之一的设想,以《我最好的朋友》为题,给我们选译了小蒂皮在非洲丛林与野生动物为友的一组精彩图片,说明文字中提到这些图片出自小蒂皮回到巴黎后所写的一本书:《我的非洲之旅》。这组稿件在《人与自然》第2期刊出后,令人耳目一新,纷纷叫好。广西万达版权代理中心的版贸新兵王昕小姐也看到了。她眼睛很尖,马上意识到这是一本值得考虑引进的好书,便立即按杂志提示的网址,和小蒂皮及其父母与版权经纪人联系,很快得到了法文版原书和日译本样书,还有有关的宣传资料。一看确实很好,从主题到形式,从图片到文字,都比我们想象的还要漂亮,还要动人,而且已经以英、德、日等多种文字出版,在29个国家发行,有的版本销售数达一百多万。

拿到了这样一本兼具科学与教育内涵的全球畅销书,我们不由得不以最快的速度

把有关引进出版的事情紧张地运作起来。一方面，"万达"抓紧同法方磋商合同条款，一方面，编辑部迅速组织翻译，利用春节假期把译稿完成。有关宣传推广工作也同时启动，在2002年北京春季图书订货会上，这本书的海报一贴上墙立即招来众多关注的目光。

现在呈献在读者面前的中文版《我的野生动物朋友》就是这样在办刊过程中多少有些偶然而又紧锣密鼓地赶制出来的。尽管如此，这本书却决不是急就章，而有其特殊的成熟的魅力。

一本图片为主的图文书，特别是描写一个小女孩与非洲野生动物交朋友的图文书，读者一下就会被一连串逼真动人、美不胜收的图片所吸引，从而爱上这本书，爱上这本书的主人公和那些与她融为一体的可爱的野生动物，无疑是很自然的。但是，我想只有图片还不够，一定要读一读与这些图片血肉相连、不可或缺的文字，这本书的价值才会更加完整地显现出来。

人们常说，孩子是天生的小动物，他们的心与自然与动物是相通的。同样，在纯净的未受人类干扰的自然界，许多动物天然地能与人处，亲密无间。造成人与动物隔膜、敌对，以及人对动物的侵害、残杀乃至灭绝，很大程度上是由于人类的自我膨胀和工业化社会发展所产生的种种对动物生存空间的挤压与威胁。只有重新认识和调整人与自然的关系，才有可能出现小蒂皮这样以孩提之心与野生动物为友的人和事。

小蒂皮把大象视为哥哥，和狒狒相伴，与鸵鸟共舞，连危险的豹子她也尝试着去和它接近。她会跟动物说话，用眼睛跟动物交流。她体会到"动物世界复杂得很""绝不要害怕，但永远要小心"。她认为"害怕没有出息""动物从来不凶恶，但比较好斗"，只要理解它、尊重它、爱护它，不招致它的误解，就能从动物那里得到善意的回报。她不能容忍人类屠杀野生动物的荒唐行为，凭她纯真的直觉，断定"动物来

自好人这一边"。

这个"很爱笑，也喜欢风吹头发""总想把作业做得十全十美"，还会说要有个"梦中情郎"的小姑娘天真大胆，敢于冒险，从思维到言行都带着"野性"。她有很强的自信心，受不了别人帮她拿主意，同时又很爱她的爸爸妈妈，爱她的非洲朋友，爱非洲这块神奇的大地。她说："回到法国后，我曾经尝试过跟麻雀、狗、鸽子、猫、牛或者马说话，但行不通。我不知道为什么，我想，那是因为非洲才是我的故乡，而不是法国吧！"对非洲和非洲黑人、土著人的一往情深，使她觉得"自己的血管里流着非洲人的血，只不过皮肤是白的罢了"，而"皮肤的颜色根本不应该算什么"。正因为这样，她同非洲丛林里的布须人、殷巴人相处得非常好，他们把她当成自家人。否则，她父母也就不可能为她拍下那么多真实感人的写真照片了。

读着小蒂皮一段段动人的故事、一句句真挚的告白，我们感受到的不只是一个儿童的纯洁可爱，而且蕴含着某种引人思索的成熟。可以毫不夸张地说，这是人类社会进入新世纪新时代，开始反思人与自然关系，觉醒到要摆正位置，善待自然、善待野生动物的大背景下成长的一代新人、一代新少年儿童的典型——这个典型，或者说优秀的个案是孩子们和年轻人能够学习，也值得学习的榜样，就是成年人读了也会不无感慨和深思吧？

《我的野生动物朋友》让我们中国的亿万读者有幸结识了远在西方的这位法国小姑娘和非洲许多可爱的野生动物，还让我们看到小蒂皮父母拍下的130多幅无论从拍摄技术或表现理念来说都堪称典范的精美图片，更让我们从图片背后看到那几未露面的小蒂皮双亲爱护自然、教育孩子的良苦用心和循循善诱。

可以告慰读者的是，"人与自然文库"还将陆续推出小蒂皮双亲教育孩子的经验之谈和他们跋涉非洲十多年所拍下的大量野生动物图像。

2002 年 4 月 6 日于昆明

Tabula noua partis Africæ.

Alain DEGRÉ et Sylvie ROBERT
sont heureux de vous faire part
de la naissance de leur fille

TIPPI

Le 4 juin 1990   Windhoek (Namibie).

P.O. Box 5774
Ausspannplatz 9000
WINDHOEK
NAMIBIE

Je dédie ce livre
à Léon le caméléon
mon vieux compagnon

Tippi

我好想写一些野外生活的故事

我的名字叫蒂皮，我是个非洲女孩，十年前在纳米比亚出生。很多人问我，"蒂皮"是不是跟印第安人用的那种名叫"帝皮"的圆顶帐篷的写法一样。我说他们应该翻开词典看好了：我的名字有两个"P"字母。我父母亲为什么给我选这么一个名字呢？那是因为有个美国女演员，名字就叫蒂皮·赫德伦，她演过一部恐怖电影，名叫《鸟》，是一个叫希区柯克的美国人导演的。

我觉得父母选这个名字选得很好，理由可多了。首先，这是一个与众不同的名字，凑巧，

我也认为自己是一个与别的女孩子不同的人；再有，这个名字会让人联想到印第安人，而印第安人恰好就住在名叫"帝皮"的帐篷（尽管拼写跟我的名字不同）里，他们像我一样生活在深山野林中；最后一个理由就是，那位希区柯克先生导演的电影名叫《鸟》。我呢，我爱鸟爱得不得了。我说爱得不得了，一点儿也没有夸张，因为它们就像我的兄弟姐妹一样。这也没有什么出奇的，因为我就在它们当中出生，长大。非洲的野生动物是我最早的朋友，我对它们了解得可清楚了……

蒂皮只是我的姓名的一部分。说实在话，我的姓名长得很呢，叫蒂皮·本杰明·奥康迪·德格雷。德格雷是我父母的姓，父亲的名字叫阿兰，母亲的名字叫茜尔维，他们都是专门拍摄野生动物的摄影师。我之所以生在非洲，也正是因为他们所从事的这个职业。至于我的全名还加上本杰明，那是为了感谢一位名叫本杰明的朋友，我来到这个世界的那阵子，妈妈就住在这位朋友家。当时，我父母正在丛林中奔波，在野外生孩子不好，于是，在我降生的时候，本杰明就把妈妈接到一座名叫维奈图克的村子住，那儿有一座医院。

我名字也叫奥康迪，这是纳米比亚的一个土著民族使用的奥万波语的发音，意思是"獴"。虽然说"奥康迪"这个名字很好听，但是，把自己的女儿叫做"獴"，确实也有点儿怪。不过，我的故事就从这儿开始……

在我出生之前，父母就在南非、博茨瓦纳和纳米比亚交界的卡拉哈迪大沙漠生活了七年。在这些年里，他们观察猫鼬和獴，给它们拍电影，拍照片。这些憨态可掬的小生灵，在别处是见不到的。在妈妈和达杜（我是这样称呼爸爸的）的眼里，狒狒和我们简直成了一家人。狒狒是野生动物，但可以说，是它们养育了我的父母。我相信，对父母来说，无忧无虑，就是真正的幸福。他们在卡拉哈迪沙漠里与狒狒相处很好，他们甚至可以一辈子呆在那儿；再说妈妈也很想在那儿把我生下来，这样，我就会成为一个狒狒姑娘，像它们的小姐妹那样，但这念头后来没有实现。

有一天，父母与当地人吵了起来，原因是大家的想法不一样。当然，是别人说了算，于是妈妈和达杜就被赶出卡拉哈迪沙漠。有时候，人也真是蠢得够可以的……

自那以后几个月，我就出生了。我还从未见过狒狒，要说见过也只是在妈妈和达杜拍摄的电影和照片中，但我仍然是狒狒大家庭中的一员，因为我的名字叫做蒂皮·本杰明·奥康迪，我会跟动物说话。

乌龟啊，它们总是一脸不满的样子。

我会跟动物说话

我会跟动物说话，大家都觉得新鲜。于是，很多人要我讲故事，讲呀讲个没完，还向我提了一大堆问题，可把我累坏了！我实在没有多少东西说……我不想解释我怎样跟它们说话，那没有什么用。如何跟动物说话可是个秘密。要弄清楚这件事，就得有点天赋。每个人都有自己的天赋，比如写字、画画、唱歌、说某一种话等等。天赋呀，神秘着呢！

我呢，我的天赋就是与动物相亲，当然，也不是跟

任何动物都合得来，我只跟非洲的野生动物亲。我用头、用眼睛跟它们说话，用心灵与它们沟通。可以看得出，它们懂得我的意思，它们在回答我。它们做出一些动作，或者是用眼睛看着我，好像它们要说的话都从眼神里说出来。我敢肯定，我可以跟它们说话，尽管我知道这有点儿怪。但是，我就是用这种方式了解它们，有时甚至跟它们交上朋友。

哦，生活就是这样。每个人都有自己的本事，我的本事有点儿特别，我知道这是一笔很大的财富，我从心底里希望，我是惟一拥有这笔财富的人，因为财富嘛，可不要人人有份。

我的洋娃娃诺诺很温柔，很可爱，闻起来味道也很香。她是我的朋友，形影不离的朋友。每一次搬家的时候，我总是把其他朋友留下独自走的。对动物们也是一样，认识了它们，结下了友谊，但我说走就走。只有和诺诺不同，她每天晚上都陪伴着我。

诺诺有时也会出事。有一天，一只猞猁把她的头咬断了，还好，我不在，没有看到罪恶的过程……后来，也不知是谁把她缝好。诺诺的一生中，不知经过多少劫

难，身上满身洞洞，只是大家总会把她补好。现在可好了，她的肚子是白的，胸和一条腿补上豹纹，什么事也没有。

我的诺诺呀，我是从不会失去她的，但有时把她遗忘在某个地方，那也没有什么大不了的，转过身子去找就是了。当然，有时要沿着凹凸不平的道路走上一两百公里去找她，爸妈免不了也要发发牢骚。

如果是把诺诺遗忘在另一个国家，那我会很害怕的。我虽然可以换另外一个，但感觉就完全不一样了。

我不知道从几岁起不要诺诺，也许这事压根儿就不可能。我想，要等到有一天我遇上个小情郎，才不要诺诺。但我又想，完全可以跟情郎和诺诺睡在一起，这样才可以说明，不是因为我有诺诺，而且很爱她，我才仍然是个娃娃。

我还有一只毛绒绒的玩具小鸡，它的名字叫安琪儿。这小玩具是纪念我那只在马达加斯加死去的小鸡的，它深埋着小鸡的灵魂。诺诺呢，她不同，她没有灵魂，因为我没有跟诺诺同样种类的动物死去。我从没有过兔子，这是要老实说的。

我已经起码有五次
睡觉不需要诺诺了。

阿布，我的大象哥哥

阿布是我的大象哥哥，不过，它已经是一头成年象，因为它已经三十多岁了。阿布的故事可有趣了。它是一头……美洲象！我知道，这也许会显得很奇怪，但事实就是这样。我是在非洲的博茨瓦纳遇上它的，那是在我父

要想猜出大象来自什么地方，有一个很容易掌握的方法：如果它来自非洲，它的耳朵的形状就像非洲地图；如果它来自亚洲，它的耳朵的形状就像印度地图。

母的一位朋友家里，他的名字叫朗达尔·莫尔，他迷恋大象迷得简直要发疯。他养有很多大象，是从各地来的。他在奥卡旺哥河三角洲给它们建了一座大象园，喂它们食物，照料它们，像家里人一样抚养它们。作为回报，大象们也乐于帮他的忙，让游客坐在它们的背上走来走去，或者是给人拍电影。在这些大象当中，有一头名叫阿布。大象们一起在美洲一家马戏团演出，相互之间十分要好。后来，朗达尔移居非洲，就把阿布带上，用船运了过来。

阿布很优秀，是我的朋友，兄弟，我爱它。我们只要在一起，就会觉得很高兴，很幸福。当我坐在它的头上，双腿搭在它的两只大耳朵上的时候，我真不知道世上还有没有比这更快活的时候。在大象身上，这是唯一真正让人感到舒服的地方了，象身的其他地方都长满了粗毛，把人刺得挺难受的。

我呀，一爬到阿布身上，就能呆上好几个小时不下来，我觉得太舒服了。

阿布体重5吨，但它从不会踩着我。象就是这样，它们总是十分关照小孩的。

Steady, Abu!
Get up, Abu!
Move on, Abu!
That's good Boy!〔注〕
跟阿布说话是要讲英语的。

阿布，别动！

阿布，起来！

阿布，往前走！

这才是好孩子！ —— 译注

我了解大自然，我认得路。
我知道自己去哪儿，
我从不迷路。

　　妈妈可喜欢这张照片了，但照片是黑白的，因为那天达杜装彩色胶卷的照相机坏了。当时父母都呆在营地里，我却与朗达尔和阿布在一起，他们正在给迪斯尼乐园拍电影。天气很热，拍摄当中，常常什么事情也不干，白白等上好几个小时。我还很小，回忆不起当时的情形了，但可以想象出，我和阿布都烦了，所以我们就一起走了。妈妈告诉我说，她看见我们俩不知从什么地方冒了出来，我脱掉了尿布和鞋子——我好像常常这样做——用脚尖走路，尽量不要让路上的泥团把脚丫弄痛。阿布跟在我后面，像一个乖孩子！妈妈说，它好像也是用脚尖走路，小心翼翼，怕把我踩着了。

皮肤的颜色根本不应该算什么

种族主义，我可不喜欢。种族主义者头脑里想些什么，我也不很清楚。人们常常为点什么信仰的问题就翻脸，每个人都想要大家信他们自己的上帝。真蠢！我们有权信自己想信的上帝嘛！还有呢，种族主义者也不喜欢不同的肤色，不同的语言，甚至头发、习惯不一样也不行。

我呢，血管里流着非洲人的血，只不过皮肤是白的罢了。皮肤的颜色根本不应该算什么。但是，要把这些道理跟种族主义者说清楚，我就没词了。我也不会把世界的问题都解决得了，我生在这个地球上也不是为了解决这些问题的。如果我能救出几个野生动物，那就不错了。

有时候，我对很多事情感到莫名其妙。

殷巴人最大的财富是山羊和牛，但他们没有钱。

一天，他们为我组织了一个庆祝活动。他们喜爱小孩，人人善良和蔼。他们在我身上涂满一种魔粉，为的是让我也成为一个道地的殷巴人。

魔粉味道很臭，有一股膻味，是用一种魔石研成粉末做成的，这种石头从一座秘密的山洞里找来。

在生活中，能有一些惊喜就不错了，
即便是一些很小很小的惊喜。
要得到惊喜，别忘了观察那些美的
事物就行了。

　　有人给我讲了一个非洲故事，是说鸵鸟的长脖子从哪儿来的。有一次，鸵鸟被一只乌龟咬住了脑袋，乌龟想把它拖进水里，但鸵鸟力气很大，拼命地往上拉，好脱身逃跑。鸵鸟越拉脖子越长。后来，乌龟累了，就把鸵鸟放了。

坐在鸵鸟背上真开心

坐在鸵鸟背上真开心。鸵鸟背软绵绵的，很暖和，好舒服啊！

这只名叫林达的鸵鸟，我是在一个养殖户那儿见到的。他养的鸵鸟多着呢，有一大群。他养鸵鸟卖肉，卖羽毛。在南部非洲，当地人通常把鸵鸟宰了以后，在肉里添上香料，然后晒干，吃起来味道好极了。但是肉变得很硬，要嚼很久才能咽下，不过，味道确实很香。这种腊鸵鸟肉我十分喜欢吃。

鸵鸟的样子并不可怕，但仍然要小心。它们的爪子上长着锋利的指甲，人们把它叫作距，可以当刀使。如果捕猎者向它们进攻，他们就会被距开膛破肚，然后死去，因为它们一只只力大无穷。

林达却很善良，老怕把我掀翻，常常不愿动一动身子。不过，我倒喜欢它奔跑，我宁愿它跑得飞快。鸵鸟要是跑起来，便是世界上跑得最快的鸟了。

豹子很危险，但我照样跟它玩

辨认猎豹很容易。猎豹的眼睛两边有又粗又黑的毛，像两行泪水，样子挺伤心的。它们不像豹子那么凶，甚至还可以驯服。

在汶多克村旁边，住着很多牧民，他们在山上养着一大群一大群的牛。我就是在名叫戴维和佩达的牧民家见到豹子杰比的。当地的牧民都有一个头痛的问题，他们的牛群常常遭到豹子的袭击。为了防范豹子，他们四处布下陷阱。有一次，杰比的妈妈掉进了陷阱，伤得很重很重，后来死去了。在死去以前，它生下了两头小豹，一雄一雌。戴维把小雌豹给了邻居，留下雄的，并给它起了个名字叫杰比。杰比就这样在戴维和佩达家安了家。

戴维和佩达用奶瓶给杰比喂奶，像养小孩那样抚养它，但都没有把它驯化过来，杰比仍然是豹子。豹子呢，可危险了。这我很清楚，但我不为所动，照样跟它玩。它看到我并不怕它，所以也不攻击我。它可爱得很，我看见它要做蠢事了，就大声地骂它，于是它便停下来，用一双不解的眼睛看着我。

有一次我跟它玩，它用嘴咬我的肩膀，它没有把牙合上，只是轻咬了一下，不然我就没有肩膀了。打从那

以后，我真的觉得，如果它想…… 就会毫不费力地把我吃掉。

后来，有一天，那场面真恐怖。那天，我和妈妈、达杜和变色龙莱昂一起去散步。杰比也许是听到我们的声音，想跟我们走，便连招呼也不打，就跳到了屋顶上，然后用力一蹦，越过院子的栅栏，追上我们。路上，杰比遇见两个非洲小男孩。两个小男孩一见杰比，便惊慌失措，大喊大叫，夺路而逃。他们不知道，遇上野兽，这样做是万万不行的。杰比把两个小男孩当作猎物追赶

起来，并逮住了最小的那个……

父母亲和我眼睁睁地看着所发生的一切，却无能为力，杰比动作快得很啊。妈妈说：

"我去找戴维。"

然后她就急匆匆地向屋子跑过去。达杜则用严厉的声音对我说：

"蒂皮，你在这儿呆着，不许动！"

他撇下我和莱昂，去救被杰比伤害的小男孩。我看着父亲跑去，后来也禁不住跟着他去了，我没法听他的话了。

杰比离猎物只有几米远，嘴里都是血，正准备发起攻击。

我听到达杜的声音，他一把将浑身是血的小男孩抱起，轻声对杰比说话。我看得出，杰比并不想放走小男孩，我想它甚至想扑向达杜，把猎物抢回来。也许它还想进攻达杜呢！

看到这些，我很生气很生气。得有人下命令，让杰比收手。于是，我径直向它走去，说：

"杰比，住手！"

杰比能听懂英语，很多纳米比亚人也会讲英语。为了肯定它听清楚了，我在它的鼻子上打了一下。这样轻轻地但又是坚决地打它一下，是要让它明白，它正在做件大蠢事，如果它不听我的话，我就会大发脾气了。

于是，它坐了下来，倒在地上，像每次挨骂一样。它好像迷惑不解。

接着，戴维赶到了。小男孩被送到了医院，还好，他没有死，但他那双面对杰比睁得大大的恐怖眼睛，我一辈子都忘不了。他以为要完了，他有理由这样想，我真的相信杰比想要他的命。

依我看，达杜也很害怕，不过他从不对我说。我父亲话语不多。

杰比受到了很严厉很严厉的处罚，被用铁丝网关了起来，连顶也封住，再也出不来了。我常去看它，跟它说话，把手伸进铁丝网抚摸它，它高兴得不得了，往我身上撒了一泡尿，表示它爱我。我想把这友谊的气味留下来，不愿意洗掉，但妈妈说那不行，我只好乖乖地洗澡，她拼命地搓我。

这个故事告诉我们，养一只豹子是要负很大责任的。它毕竟是一只很强壮的动物，可以把人杀死。不过，我的杰比还是很可爱的。我们相亲相爱，十分融洽。

鳄鱼心里只装着一件事：吃

鳄鱼心里只装着一件事：吃。正因为这样，您看见的这张照片上，一个娃娃与一群鳄鱼在一起，您准会问，那还不赶快用橡皮筋把它们的嘴绑住啦，不然它们就会咬我了。这鳄鱼也真令人讨厌，混身上下凹凸不平，冷冰冰的，一点儿也不可爱。

这张水中拍摄的照片可没有看见橡皮筋。达杜和我冒险和一条鳄鱼玩！不过，这鳄鱼是塑料做的。我们开怀大笑。

如果有一天您看见一个孩子或是一个大人和一条鳄鱼玩耍，那可是一个奇迹了。说真的，这鳄鱼，还真危险，再说，爸爸不慎被它们咬过一次，咬在屁股上，痛得他好难受。

我的达杜觉得自己老了，但这不是真的。他很久很久以来，就一直年轻，他的脸上的线条让他长得好英俊。

野生动物就像我家里人一样

要描述非洲，真不容易。非洲与我们这儿〔注〕千差万别，相去太远了。

人们常说我是蒙格利族的小妹妹。我听见他们这样说很高兴，因为蒙格利就是野生的意思，而我也是野生的孩子。我没法把这事解释清楚。所有我认识的女孩都是家养的，只有我是例外。我为什么是野生的呢，那是因为我生活在非洲，远离城市，野生动物就像我家里人一样。

我渴望有一天回到非洲去，常常渴望着有一天能回去。在那儿生活不是一种寻常的生活。我不明白人们为什么要离开野外。一离开野外，回到城里，烦恼就来了。

父亲告诉我，在博茨瓦纳，乘坐 4×4 型吉普车外出的时候，常遇到大群的萃萃蝇，它们会从窗口钻进车子里。人被这种大舌蝇叮很痛。它们常常一窝蜂地叮，

城里没有猴面包树，
我只好爬到路灯杆上去。

这儿，指巴黎。 —— 译注。

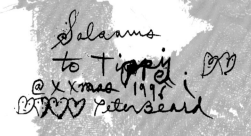

但从来不碰我。达杜到现在还不明白那是什么原因。我想这是一个谜……也许它们觉得我属于大自然吧，而我的达杜难道不是吗？或者，这也许是气味，或者是爱好的缘故。生活中，并不是所有的事都能说清楚的。

佩蒂·比尔是个大摄影师，专门拍摄野外景物。他写了一本讲大象故事的书，书名叫《一个世界的终结》。这本书十分了得，他给我送了一本，题了词，还附上他的手掌印，我喜欢极了。

人可以跟一棵树交朋友，或者跟其他什么交朋友。当然，这是想象世界中的事。喜欢一棵树是想象，因为现实中没有这种树。一般来说，我们只能喜欢人或者动物，而不会爱一棵植物。我们喜欢一朵玫瑰，因为它漂亮；或者喜欢一棵树，因为它可爱。说树可爱，当然是想象了。而动物呢，它们都是实实在在的可爱，但一棵树，它既不会动，不会说话，也不会看东西……如果它们什么也不会做，怎么能够称得上可爱呢？

上帝现在没有了，但他曾经存在，
孤零零的。

长颈鹿安详地朝我走来

斑马很漂亮，但不好玩，它们像马，只是身上有条纹，但不可以像马一样骑上去，也不能驯服。

那是在非洲的事情了。一天，有人给了我一块水晶石。我在想，用这块魔石对上苍说话会不会使我产生魔力。我还是试了一下。我朝着长颈鹿走过去，看看自己有没有魔力。按常理，当人靠近野生动物时，它们会逃跑的。可是，那长颈鹿却安详地朝着我走来；而达杜来到的时候，它却跑了。真可惜，我还是没法看出魔石会不会助我有力量。

小时候，我就相信豪猪身上长满了毛刺！

豪猪可漂亮了，但要想去碰它，那简直是神经病。如果你掉在豪猪身上，它的毛刺会把人叉住，把你刺痛得够呛。

同狒孩儿难舍难分

爸爸妈妈说过，很难跟狒狒做好朋友。小时候，在博茨瓦纳，我们在丛林中生活，看到树上到处爬满了狒狒。它们有个拿手好戏，就是在高高的树上做鬼脸，然后跳下来抢我的奶瓶，喝上几口。我好像对这种事十分生气。

四岁的时候，我认识了狒孩儿星迪，它跟我差不多大小，所不同的是它是狒狒罢了。那时，我不分狒娃和人娃，反正我觉得都是我的朋友。我们四处爬树，还换奶瓶喝奶。这样做有点儿恶心，但我还小，就无所谓了。我跟星迪成了朋友，难分难舍。

后来我们离开了很久。一天，我回来后见了星迪。能够再见到它，真高兴！它长大了好多，比我长得更快。父母亲打听是谁家养它的，还问如果我们又在一起玩会不会有危险。他们回答说不会有事的。

在我的家乡纳米比亚，人们都说布须曼人是惟一听懂狒狒讲话的民族，他们甚至还可以跟它们讲话，因为他们认为猴子很久很久以前是人。

我很想为保护自然做点事，但压根儿就不可能。看来我得向上帝求助了。

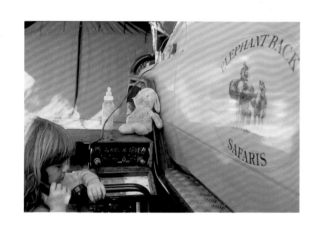

我的眼睛没事！星迪一看见我，就扑上来扯我的头发。它虽然还是个小狒狒姑娘，但力气已经很大，把我弄得很痛，难受极了。我不知道它的脑袋里想什么。我是来看它的，它却撕破情面抓我。大人说它见我有一头漂亮的头发妒嫉了。说心里话，我不知道为什么……

我哭得很厉害，我的头发给它大把大把地扯掉了。打从那天起，我就讨厌星迪，哪怕我明知这不是它的错。

跟动物交朋友与跟人交朋友可不一样。动物永远有敌人，这是大自然的规则。要让它们知道，人类是最强大的，否则它们就来欺负我们。莫非星迪想主宰我？可是我们曾经在一起度过了很多美好的时光，它应该辨得出我的气味，记得我们曾经是世上最好的朋友啊！应该相信，动物的记性不会跟人的记性一样差。

动物世界复杂得很

不要以为动物的世界是完美的。事实上，复杂得很呢！它们当中也有很多暴力，就拿猫鼬来说吧，它们随时都会丢掉自己的孩子，那是因为豺很狡滑，常常来偷它们的小孩，大吃一顿。小孩被偷了之后，它们可伤心了，因为它们也是有感情、有爱的嘛。

至于爬行类动物有没有感情呢，我就不懂了。比方说变色龙吧，我见过很多很多。我想它们也有爱，但我不敢肯定。当公的变色龙与最漂亮的母变色龙交尾的时候，那难道不是爱情吗？

我不懂得变色龙会不会恋爱，但我想它们会的，只是我不敢肯定罢了，因为我还小，生活经验不多，哪怕我现在已经十岁，就要长成大人了。

灵魂也是一样。我知道虫子是不会有灵魂的，所以，我们没法和它们交流。但其他动物有没有灵魂呢？我想它们会有的，但我得先信上帝才能肯定这件事。不过，我还不知道自己什么时候可以死去。

为什么不把我造成一个
英国人呢？我可喜欢英语了。

温柔的小狮子 —— 穆法萨

我认得一头小狮子，可爱极了。它也有自己的名字，叫穆法萨。它好温柔好温柔，也很逗。我们俩常在一起玩。有一回，我们一起午睡，它吮吸着我的拇指睡得很香。

第二年我们又见面的时候，它像变魔法似的长得好大好大了。它认出我来了，慢慢走近我，跟我玩。它用尾巴触摸我，它力气可大了，尾巴轻轻擦了一下，害得我差点跌倒。

我父母不大相信穆法萨，不想让我跟它呆在一起。真可惜，但他们确实不放心。他们不放心，我就不要硬碰了。其实，跟人打交道也是一样的。

晚上我做梦，再也不会
做恶梦了。

大象有很强的记忆力

大象老了以后，会独自走到某个地方，静悄悄地死去。有人说它们是走到象墓去，但谁也不知道是不是真的有象墓。如果真的有，那么它们就是在离开伙伴之后修筑的，至于在什么地方修筑，它们就不管了。

有时候，它们坚持不住了，就在半路上死去。要坚持住不死，可不容易哩。

我心里不太相信上帝，但实际上我又相信他，只是不太肯定是不是从来没有见过他。我也不肯定人有灵魂，死后能上天堂去过另一种日子。如果真有这种事，那么人就不会像机器人一样，死了后就消失在阴间，什么也没有了。

大象哭的时候，会流出咸咸的泪水，像我们一样。

79

　　达杜跟我们说过，一头大象的大脑有六公斤重，是我们人类的四倍。正因为这样，它们有很强的记忆力，什么都懂。它们的大鼻子里有五万多块肌肉，因此力大无比。

谁替我拿主意，我会受不了的

我讲述一个秘密的时候，总是很难找到词，特别是讲一个深藏的秘密。

那些野人啊，他们起码信一个上帝，只是我不清楚那到底是不是上帝。我想，他们信的上帝就是一只动物。也许，在他们看来，所有的动物凑在一起就是一个上帝。我们不清楚是不是这样…… 有一点我可以肯定的，就是我不大喜欢那些信很多上帝的人，他们好像被捆住了，没有自由，连主意也要上帝替他们拿。我呢，要是谁替我拿主意，我会受不了的。

我也作祈祷，但我很清楚，是我把声音送到脑子里去的。我没法不这样做，那是我弄来的声音。我从来不相信这是上帝在对我说话，但我却十分失望，因为我很想听一听从自己身外来的声音。再过一会儿，如果上帝真的不愿意跟我说话，我就会一点儿也不信他了。而且我总觉得他不大管人间的事情，起码现在我看不到他在做点什么……

正是这许许多多的理由，我才不那么相信上帝，但我还是比较相信守护天使。

动物来自好人这一边

我们人类当中有些人很凶恶，凶得一点道理也没有，仅仅是从中取乐。这些人都出自坏蛋堆里。我不知道这种情况在动物当中有没有。如果一头动物从坏蛋堆里来，它是不会和人相亲的，也就没有希望做朋友了。想到这些真是怪怪的。我从来没有遇到这种情况，或者，也许鳄鱼是这样的吧?

就像蛇，大家都以为它们很凶，可我呢，从未被蛇咬过。对了，我曾经被一只猫鼬咬过，所以有些照片上我的鼻子有牙痕。但那不是它的过错。我走近它要抱起它的时候，它很紧张，以为要伤害它，就咬了一口我的鼻子，那只不过是它自卫罢了，我可不能恨它。

我看呀，动物都是来自好人这一边，而不会来自坏蛋堆。

将来就是现在，而现在就是过去。

用眼睛跟它们交流

一天，在一家驯养动物的牧民家里，我见到了三只猫鼬。我很小的时候，妈妈就给我讲过猫鼬的故事，所以我觉得，还未见到它们就已经对它们有了了解。这些小宝贝真是十分逗人喜欢。

有时候，我也在想，妈妈她是不是也有点魔力，可以跟猫鼬沟通。但是，我不太相信她真有魔力，她如果真的有这种力量，我会嫉妒的。她要是真有魔力，为什么只会对它们说话，却理解不了它们呢？不管怎么说，她只会用嘴巴对猫鼬讲话，而我是用眼睛跟它们交流的。

我的名字叫奥康迪，我是猫鼬大家庭中的一员，我可高兴了。它们是了不起的族群，一辈子互相关照。如果它们各顾各的，遇到困难就解决不了，但一合起来，它们比很多动物都强大。

它们又是宝贝，是猫鼬宝贝，特别得很。妈妈教过我怎么对它们。把它们抱起来，轻轻地紧搂着它们，真是好玩极了。

绝不要害怕，但永远要小心

"你不害怕吗？要想不害怕该怎么办呢？"这是大家向我提的一个大问题，大人尤其喜欢提这样的问题。很显然，我不害怕，不然我就不敢靠近它们了。我啊，跟动物一起从不害怕，不过，有时候挺激动的，那不是一回事。

应该说我很了解动物，因为我就生在它们当中，再说，妈妈也说过做哪些事情有危险。比如说，一身黄的眼镜蛇，人碰一下就会死掉，而巨蟒，你可以抚摸它，搔它的肚子也没事。这些，懂得了就好办……

我记不清，妈妈或达杜反复对我说过多少遍这样的话："绝不要害怕，但永远要小心。"或者"遇到蛇该怎么办呢？"答案我都背得出来了："不要靠近，赶快跑去找妈妈或是达杜，问一问有没有危险。"

如果是危险的动物，就要当心，不要遇上。如果没有危险，就可以交朋友。其实，这对所有的动物都是一样的，明白了这个道理，就不必害怕。

一般来说，常常是动物怕人，所以它们才发出叫声，或者做出很凶的样子，吓你一下，好让它们得安宁。当它们很害怕很害怕的时候，它们会往你身上撒尿，不过，它们不是故意的啊!

我所见到的动物，很多都习惯看着人。这不是说它们已经驯化了，而是它们生活的地方，常常有人来参观，比如在自然保护区（那都是一些很大的公园，确实很大很大，动物在那儿生活可自由了）。有时侯，它们干脆就住在一起。

我从来不会跑到野象的大脚中间去玩，也不会去摸自己不认识的豹子的头! 我不是那种疯疯癫癫的女孩。我不想被象群踩扁，或者给野兽吞下肚子里去。

要记住，即使是一些与人相亲的动物，它们首先还是野兽，因此，你得多长个心眼。有一个窍门，就是不要让它们想到你是一只猎物，或者你会伤害它们。比如，不要背对它们；如果摔倒在地上不要呆着不动，要赶紧爬起来。要多留意它们，就像它们留意你一样。做到这些，就会平安无事了。

好啦，虽说自己不害怕，但我还是得承认，我说的这些都是陆地上的动物，而不是说海里的动物。那海里的吃人鱼、大白鲨，你们可别望我带你们去看它们。

动物从来不凶恶，但比较好斗

动物从来不凶恶，只是有时候比较好斗。我差点忘了跟大伙说，不要说"凶恶的动物"，而要说"好斗的动物"。但说了也是白说，没有人相信的。那我能做些什么呢？我不会花一辈子的时间，重复同样的事 ……

动物好斗，那是在它们要保护自己、保护孩子或者自己的地盘的时候，才会这样。当然它们受了伤，或者脾气不好，也会好斗，或者它们生下来本来就是好斗的。不管怎么说，它们总有自己的道理，不像人，人自己也不知道为什么这么凶。有时候我生起气来，简直像个小巫婆，很多难听的话就从嘴巴里冒出来，停也停不住 。

一天，我实在想认识埃尔维，但大人一个个都反对我这样做。我得告诉你们，埃尔维是一只高大强壮的公狒狒，嘴里长着危险的大牙齿，样子确实可怕。大家都想它准会很好斗，它做出什么事也很难料到。我呀，不知为什么，感觉告诉我，我能靠近它。最终，父母只好同意我靠近它了。他们特别叮嘱我，不要用眼睛盯着它，它会把这看成不怀好意，或是挑衅的，会把它激怒。于是，我只看看它的手，然后把我的手靠上去，很轻很轻地靠着。动物就是这样，得互相碰一下，才能相识。熟悉气味也很重要。

埃尔维用鼻子嗅着我，它应该觉得我不是它的敌人。我友好地抚摸了它一下。它很安详。一只狒狒的手，真逗，毛绒绒的好暖，像人的手。

我离开狒狒的时候，妈妈和达杜松了一口气。我呢，能认识埃尔维真高兴。这下我快跟狒狒好上了，但是没有时间，来不及成为朋友。

非洲才是我的故乡

生活中，既有幸福，也有倒霉。有时候，生活又很正常。我们住在纳米比亚的日子里就是这样，只担心生活习惯不习惯，从来没有不顺心的，有时候过得还挺幸福。在那儿生活，真棒！

回到法国后，我曾经试过跟麻雀、狗、鸽子、猫、牛或者马说话，但行不通。我不知道为什么，我想，那是因为非洲才是我的故乡，而不是法国吧。

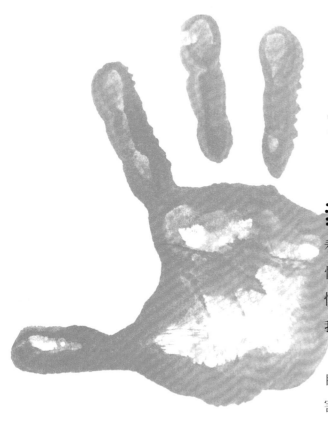

我最喜欢的一张照片

我最喜欢的一张照片，是小时候拍的。照片上，可以看到我的手靠近一只羚羊的嘴巴，靠得很近。羚羊好怕人啊，但那一只羚羊却不怕我。我已经记不起当时的情形了，但我准是在跟它说话，不然的话，它怎么会让我靠近它呢，我可是狰狞的人类，是杀羚羊的那种。

达杜拍下了照片，后来羚羊就走了，因为它觉得不自在，或者它压根儿就没想过要安静下来。面对着自己害怕的人，是很难安静的。

每当我想起这件事情，或者看这张照片的时候，我总觉得有点怪怪的，我居然有跟动物说话的本领。

什么是动物之间的爱呢？我想它们之间的爱就是没有争吵，或者确实不像人类那样争吵。我不明白为什么这中间差别那么大。但是，我又想，那是因为动物有一点什么就满足了，而人类总想还要得到别的东西。

最接近动物的部落：布须人

妈妈说布须人是人类最接近动物的部落，他们几百年以前，甚至几千年以前就懂得怎样在野外生活。他们没有接触过文明世界，所以生活习惯一点儿也没有变。在他们的心目中，时间不值钱，金钱也没有什么用处。

我在卡拉哈迪沙漠和纳米比亚北部见过布须人。我运气真不错，能够与他们相识。要知道，他们不常接近白人。

关于他们，我想说的第一件事就是，他们长得很好很好，只是他们显老，因为他们在太阳底下暴晒，容易长出皱纹，就算年轻人也会这样。

他们也很和善，整天乐呵呵的。男人一个个像在演戏，模仿动物，疯疯癫癫的，逗孩子和妇女笑。

我们一相识，就结下了友谊。我常常跟孩子们做游戏。跟他们在一起，感觉真好。我们不需要通过词句交流，就成了朋友。

布须人的语言很好听，有点儿像音乐，除了单词以外，他们常在说话的时候发出"喀嗒"声。我很害羞，不太好意思学他们的话。但是，有一回，我用偶尔学到的几个词跟一位大妈说话，还用法语发"喀嗒"声。她听着我说，还和我讲话。我很不好意思，因为我自己对她说了什么，连我自己也闹不清楚，我只希望我所说的不是什么蠢话。

布须人可不是那种爱浪费的人，吃点什么东西，会连皮带骨也吃掉，直吃得一个个肚子很大很大。他们尊重大自然的恩赐，不随便把东西扔掉，也不会乱开杀戒。不到不得已，他们是绝不会宰杀动物的。

他们没有火柴，要想生火，就将铁棒用力往另一根

铁棒上磨擦，直到发出火花。我试过这种取火的办法，但生不了火，看来要学很长时间才能学会。

布须人也很神奇，比如，巫婆能辨认出没有坏蛋鬼的地方，他们还会跟月亮说话。每逢月圆的时候，布须人就举行隆重的庆祝活动，因为他们认为月亮就是女神。当然，看着又圆又大的月亮在沙漠中冉冉升起，确实很壮观。节庆的日子，男人们跳舞，女人是不跳的。我们呢，只是唱唱歌，拍拍手就行了。

他们跳舞的样子很逗人笑，开始的时候还有规矩，到后来就乱跳了，像疯了一样。

一般来说，过节是秘密的，外人不能拍电影，拍照片，但我们是朋友，他们就给我们送了个大礼：邀请我们跟他们一起过。

我呢，从心底里觉得自己也是个布须人，完全跟他们一样，没有什么差别，不同的是我们有衣服，我的肤色跟他们不一样，我仍然是个白人，我不可能变黑。

有时我真想不要会说话好了。

杀死野生动物真是荒唐极了

我真不明白，人类为什么要杀死野生动物，真是荒唐极了。如果把野生动物都杀了，以后就没有野生动物了，那还怎么去拍照片呢！拍照片，不会吓着它们，可是猎枪就不同了。

有时候，人也不得不杀死动物保护自己，或者吃它们肉。妈妈告诉过我，我还是个小娃娃的时候，她总是带上小手枪，用绳子拴在童车上，以备遇到狮子袭击时使用。在人的生命和动物的生命之间，一般来说是人比动物重要。但我相信，妈妈从来没有开过枪。

布须人宰杀动物吃肉的时候，总要先感谢它为养活本部落而献出生命，这是很正常的，因为他们尊重大自然。

他们与猎人和偷猎者不同。猎人和偷猎者什么都不顾，真可怕。但我又有什么办法呢？我生活在法国，住在一套套房里，而不是在别的什么地方，再说我还是个孩子，我唯一能做的，只能是说：这种事太令人伤心了。

达杜，你又出发了……
我好想你把我带
去…… 呃……
你会给我带回什么呢？
我找到了！
快回来吧！

害怕多没出息

我很爱蛇，用手摸摸蛇觉得它软绵绵的。很多人见了爬行动物就很怕很怕。害怕多没出息——除非怕恐怖电影，怕做错事。可是怕蛇就好笑了，我喜欢蛇喜欢得不得了。不过，说真的，害怕，这东西是要战胜的，不然就成疯子了。

我呀，如果害怕了，或者很激动，我就努力战胜它。比方说，游泳池里常有个叫"扑通"的东西，是专门负责清洗池底的机器人。这机器人往前走的时候会发出很响的声音。我之所以把它叫"扑通"，是因为机器人发动起来后，我就害怕得心"扑通、扑通"地跳。跟达杜游泳的时候，我好几次潜到水下，靠近它，习惯它。现在好多了，因为我已战胜了害怕。

对待蛇也一样，我很想帮助大家战胜害怕。当人们看见我跟蟒蛇玩的时候，他们心想我行他们也许能行。于是他们就把手伸过去。他们发现，其实并不是那么可怕的。而我啊，还觉得舒服哩。

对妈妈撒谎是不应该的。
过去，我曾向妈妈撒过谎，
但现在不了，因为我对自己有信心了。

这些照片像演电影一样

这些照片就像是演电影一样。这就对了，阿布是演员，而我以后兴许也会当上演员的。我们俩在一起假装演戏，它演野象背东西，我演一个丛林的小女孩，正在张开双臂拦住它。我们演得挺不错，不了解内情的人还真当一回事。

说真的，阿布从来就没有想过要伤害我，但是一个小女孩能够拦住发怒的野象，简直不可想象，而且她父亲看着她这样做，还能心平气静地拍照片。人有时候真是怪怪的，他们忘记做一件事得先考虑，总是想干什么就干什么。

我只吃不认得的鸡

大家都以为，变色龙是要躲避什么才变颜色的。其实这不对。它们变颜色是看情绪的，比如高兴呀，生气呀，害怕呀，或者是光线太强烈、天黑、太冷……

我跟朋友莱昂合影的这张照片，我太喜欢，太喜欢，实在是太喜欢了。莱昂就是变色龙，变色龙莱昂。莱昂太可爱了。它有爪子，但不伤人。它挠我的头发时，总是挠得痒痒的。有时候，也叮一下我……

我花很多时间抓蚱蜢喂它，这样做，仅仅是想看它斜着眼睛，伸出粘糊糊的舌头吞食的样子，乐一乐。面对那绿色的庞然大物，它直想一口吞掉，样子好笑得要命。我边看着它边想："莱昂，加油，莱昂，加油！"

碰上莱昂，蚱蜢可就倒霉了。我呢，当然不在乎了。我对它们说："你们让莱昂美餐一顿，实在太谢谢了。"动物之间你吃我，我吃你，这是很正常的，它们天生注定是这样的。这就是生活，比方说，我离开非洲大陆后，在马达加斯加生活过一段时间。我养了很多小鸡，很漂亮，很漂亮。小鸡后来长成了大鸡。大鸡我也喜欢，但我照样吃鸡，不过不是我家养的鸡。我只吃已经杀好的鸡，或者市场上买来的鸡，总之是不认得的。

回到巴黎后，一天，我们到肉店去，那儿摆满了杀好了可以买来吃的鸡，但不知道这些鸡为什么还有头。

我马上产生了一种怪怪的的心理作用，像是就要掉进苹果堆里去。于是赶紧跑掉了。

我总觉得，那些动物，如果要吃的话，最好不要像活着的样子。

变色龙的语速比火箭还快

我的达杜说过，变色龙的语速很快，比火箭还快。

要是我什么地方不舒服，就会觉得不自在。我肚子里不知长了什么，怪怪的，我把这叫做"咕噜"。这咕噜一上一下的，上的时候还好，下的时候就不好受，像有东西在里面打滚，冲到肺里，发出爆裂声。小时候，我感到痛得钻骨钻心似的。

离开一个地方，是很伤心的。我宁愿什么地方也不要去好了。我们可能又要坐4×4吉普车出发，还要露宿旷野，就像在纳米比亚一样。但我相信这不太可能。

还是等我长大后才走吧，到时我会带上情哥一起去度假。

　　蟾蜍看着你的时候，那双眼睛怪模怪样的。会跳到你身上，爪子像火罐一样紧紧地粘住。它到处扒着，拉也拉不开。

经历冒险是生活幸福的秘密

每个人在生活中都会遇到一些问题的。我呢，只要在非洲过野外生活，就什么事也没有。可是回到巴黎之后，或是到了马达加斯加，事儿就来了。都说马达加斯加好得很，可是到了以后，我发现上当了。那儿有很多丑陋的东西，孩子们很悲惨，很多人生病，死去。

一个地方的风景可以漂亮，但如果到处都是丑陋的东西，那就变成灾难了。我宁愿不往这上面想，宁愿回忆那儿的那些变色龙朋友，洛兹太太，德尔玛，路易丝，格林先生，还有鬼脸大王胖子马克斯，它的脾气糟透了。

在生活中，我最喜欢冒险。大人都以为跟非洲的野生动物生活就是冒险。他们大错特错了。

冒险嘛，那就是，比如说偷糖果或者厨房里的蛋糕，然后躲到房里偷偷地和最要好的朋友一起吃。为了战胜害怕，我们还当是执行秘密任务哩。不过，大人常常把这种冒险叫做蠢事。……这是因为他们不知道，或者忘记这是怎么回事。

如果生活仅仅是这些，那就太美了……如果尽是这样的古怪冒险，也不会烦人。也许可以说，经历冒险，是生活幸福的秘密，当然前提是挑那些不会出问题的险去冒。

我相信，人长大以后，问题就会来了。

比波，是我的马达加斯加狐猴朋友，它爱上了我的洋娃娃巴比，真的！它用后爪站立起来，拥抱巴比，吻它的嘴巴。我想，有时候它把自己当作人了。

我离开的时候把它留在当地。我宁愿不再提起这件事，尽量忘掉它。我要是想着它，会很伤心很伤心的。

在学校里，我话很多，因为我有很多故事。我是一只小喜鹊，脑子里装着好多好多的话。

做作业总是想做得十全十美

我做作业总是想做得十全十美。从前，我要花很多很多时间做，现在，我写得很快，学得也快了。每次做完作业以后，我对自己很满意。

我很想学习，但这要看老师的。如果出发在外，我就按老师寄来的材料学，由妈妈或者是一位老师帮我。有时候，我不太喜欢妈妈教我。在马达加斯加，我的老师名叫贝尔莱特，她也是我最要好的大朋友。她每天早晨7点半上门，每周来四次，再加上星期三的下午。我们就在晒台的阳伞下开学校，这挺不错的，因为我所有动物朋友都可以来看我们，它们可多了，有像直升机一样的珠鸡、小鸡，有鹦鹉，它常爬到我头上来，还有公鸡……但我专心学习，好像没有看到它们，因为老师布置做练习跟玩游戏结合起来。

我很爱笑，也喜欢风吹着头发

我关注未来。

一天夜里，我遇到了一件难以想象的事，很奇特，我长这么大从未见过：我看见了一颗流星！当时我正跟上帝说话，我不是像做弥撒那样用手跟他说话，而是用嘴巴。我问他，在这世上，我是不是唯一跟野生动物生活在一起的小女孩，如果还有别人像我一样，我不会嫉妒的。我请求他，如果我到天上去，要好好接待我。我还对他说，我很爱他，常想念他 …… 就这样，他给我派了个流星来。

我很爱笑，笑得很多很多。我也喜欢风吹着头发，比如开车在丛林里穿行的时候，我就坐在吉普车顶上，让风吹我，如果觉得脖子冷，就不坐了。我还喜欢见到最好的朋友，把她搂在怀里，或者会会情郎，紧紧地拥抱他。

有父母，有情郎，有一个最好的朋友，我就足够了。

到了天堂以后，想知道的事都会知道的。

图书在版编目（ＣＩＰ）数据

我的野生动物朋友／（法）蒂皮·德格雷著; 黄天源译，昆明：云南教育出版社，2002.6（2014.12 重印）

ISBN 978-7-5415-2071-6

Ⅰ.我... Ⅱ.①德...②黄... Ⅲ.野生动物—普及读物 Ⅳ.Q95-49

中国版本图书馆 CIP 数据核字(2002)第 022864 号

著作权合同登记号图字：23-2002-03 号

人与自然文库

我 的 野 生 动 物 朋 友

[法国] 蒂 皮·德格雷 ／ 著

阿 兰·德格雷 ／ 图
茜尔维·罗伯特

黄天源 ／ 译

编辑 《人与自然》杂志编辑部

出版 云南出版集团公司

云南教育出版社

（昆明市环城西路 609 号新闻出版大楼 18 楼，650034

电话 0871- 64120814）

网址 www.yneph.com

印制 深圳市精彩印联合印务有限公司

（深圳市宝安区松白路2026号同康富工业园，518108）

发行 全国新华书店

开本 889毫米×1194毫米 1/24

印张 6.75

版次 2002 年 6 月第 1 版

印次 2014 年 12 月第 20 次印刷

书号 ISBN 978-7-5415-2071-6/Q·6

印数 560001 — 570000

定价 29.00 元

（如有印装质量问题,请直接与印刷厂调换 联系电话: 0755—26621234）